casa exprés

Soluciones para tu casa

Plomería

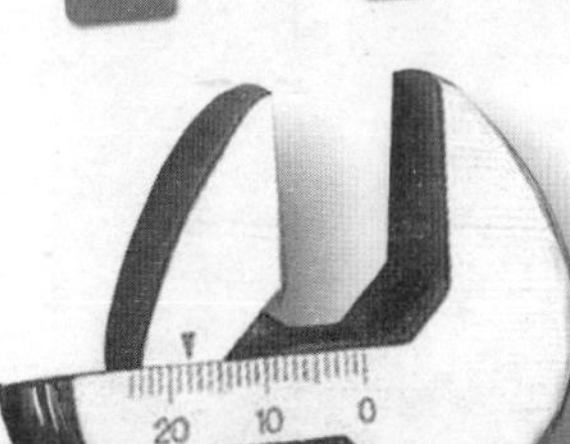

Mario M. Rafaelli
Soluciones para tu casa : plomería . - 1a ed. - Buenos Aires : G. División Libros, 2012.
64 p. ; 20x14 cm.

ISBN 978-987-9097-53-3

1. Plomería. 2. Reparaciones.
CDD 696.1

Soluciones para tu casa: plomería
Mario M. Rafaelli

Diseño de colección: María Cecilia Malla Melville
Fotografía de tapa: archivo gráfico GIDESA

Primera edición: julio de 2012

I.S.B.N.: 978-987-9097-53-3

Se ha hecho el depósito que establece la Ley 11.723

Bartolomé Mitre 3749 - Ciudad Autónoma de Buenos Aires
República Argentina
Impreso en Argentina - Printed in Argentina
Libro de edición argentina

Se terminó de imprimir en Mundo Gráfico S.R.L.,
Zeballos 885, Avellaneda, en julio de 2012,
con una tirada de 3.000 ejemplares.

Capítulo 1

El agua: su circulación en un hogar

Un sistema simple y fácil de comprender

Para entender de qué manera circula el agua en un hogar es bueno empezar por el principio, es decir, por saber cuáles son los tres sistemas en que se organiza el sistema de plomería de una casa. Veamos:

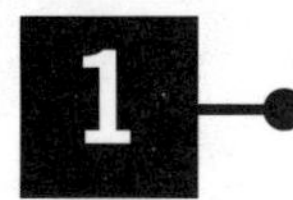

Sistema hidráulico

Este sistema es el que conduce el agua que viene del exterior hacia el interior de una vivienda (se trate de una casa única o de un gran edificio de departamentos). El agua puede provenir de diversas fuentes: de un depósito o tanque, de un pozo o del sistema de distribución del lugar donde está ubicada la casa.

Una vez dentro de la vivienda, el agua circula hacia las instalaciones sanitarias (el lavatorio, el inodoro, la bañadera, las piletas de lavar de la cocina o del patio, etcétera) y hacia los electrodomésticos que la necesitan para cumplir su función (lavarropas, lavavajilla, etcétera).

Sistema sanitario

Este sistema es el que se ocupa de trasladar o conducir el agua de desecho (la que ya ha sido usada dentro de la vivienda y que no sirve) desde la casa hacia una cámara séptica (y, de allí, al pozo ciego), hacia un albañal o hacia el ramal de desagüe cloacal del barrio donde está ubicada la vivienda o el edificio de departamentos.

Sistema de ventilación

Este sistema se ocupa de expulsar los gases tóxicos que se producen en el interior de una cámara séptica, en un albañal o en los caños de desagüe, para que dichos gases (nocivos) no penetren en el hogar.

¿Qué son? ¿Cómo son? ¿Para qué sirven?

La cámara séptica y el pozo ciego

Hace tan sólo algunas décadas, el sistema sanitario de una casa terminaba en un pozo ciego, que era una excavación con paredes de tierra a donde desaguaban las aguas servidas o de desecho, tanto las que provenían de un inodoro como las provenientes de la pileta donde se lavaban los platos.

En la actualidad, el agua de desecho pasa por una cámara séptica antes de llegar al pozo ciego. Es en la cámara séptica donde los desechos sólidos que tiene el agua son tratados químicamente y descompuestos en una especie de barro que se deposita en el fondo de la cámara. Por eso, al pozo ciego llega sólo material líquido, que es absorbido por el fondo y las paredes, ya que una de las características fundamentales de estos pozos es su permeabilidad.

La cámara séptica, por su parte, es una especie de caja enterrada y cerrada de manera hermética que tiene compartimentos en su interior, pues a cada uno de ellos llegan las aguas provenientes de los distintos lugares de la casa. Esto se hace para evitar que, por ejemplo, el agua jabonosa de la cocina se mezcle con los desechos sólidos que provienen de un inodoro. Estos distintos desechos son tratados dentro de cada compartimento y sólo se unen cuando el proceso químico de cada uno ha terminado. Por lo general, las aguas permanecen unas veinticuatro horas en la cámara séptica antes de pasar al pozo ciego. Mientras están allí, distintas bacterias actúan sobre los desechos y los descomponen. Es al finalizar este proceso cuando estas aguas pasan al pozo ciego, ya filtradas, y pueden ser absorbidas sin problemas.

Como producto de la acción de las bacterias se generan gases, que se acumulan en la parte superior de la cámara y que deben ser expulsados. Por esa razón las cámaras poseen sistemas de ventilación: tuberías que llevan los gases hacia el pozo ciego y que hacen que, finalmente, los gases sean despedidos por el caño de ventilación de dicho pozo.

Sin la cámara séptica, el pozo ciego recibiría todo tipo de desechos sin tratamiento previo, y lo más normal sería que se obstruya o se tape ya que, con el correr del tiempo, los desechos se acumularían en sus paredes, impermeabilizándolas.

Albañal

El albañal es el tubo o conducto que recoge las aguas servidas o de desecho de una vivienda –cuando ésta no tiene pozo séptico– y las conduce hacia la red cloacal pública o hacia la cámara séptica. En general está fabricado con concreto.

Tanque de agua

El tanque de agua es el que funciona como depósito constante de agua para un hogar unifamiliar o un edificio de departamentos, pues recibe el agua del sistema de distribución o desde el pozo de agua –en un terreno rural– y la conserva para su utilización hogareña.

En general, y por una cuestión relacionada con la ley de gravedad, los tanques se ubican en los techos de las viviendas, pero también puede suceder que el tanque sea subterráneo o que esté a nivel del suelo.

En este caso, y también en el caso de que el agua no llegue con la suficiente fuerza a un tanque elevado, se necesita el agregado de una bomba que llene el tanque cada vez que se necesite.

Los tanques hogareños funcionan de manera muy similar a la mochila o tanque de un inodoro, es decir, poseen un flotante que corta el ingreso del agua cuando se ha completado la capacidad del tanque.

Además, poseen una tapa que permite limpiarlos –una operación que debe hacerse periódicamente– y, en algunos casos, un filtro de sedimentos que hace que el agua que entra al hogar sea aún más cristalina.

Llaves de paso y medidores de consumo de agua

Conocer el lugar donde están ubicadas las distintas llaves de paso de agua en una vivienda es imprescindible para actuar con celeridad a la hora de solucionar un problema en algún artefacto sanitario.

Por otro lado, aprender a interpretar la información suministrada por los medidores de agua nos permite verificar si el consumo facturado es correcto y, aún más importante, detectar una posible pérdida de agua en la casa, si es que el medidor indica un consumo fuera del normal.

Las llaves de paso

Desde las viviendas con las instalaciones más básicas hasta aquellas que están equipadas con las más modernas y complejas, todas poseen una llave de paso de agua general, para cortar o habilitar el ingreso del agua en el hogar y otra (u otras) particular, para cortar o habilitar el paso de agua en un ambiente o en un artefacto en particular. En ambos casos las llaves de paso pueden tener la forma de una palanca o manija o forma de mariposa, como las canillas comunes.

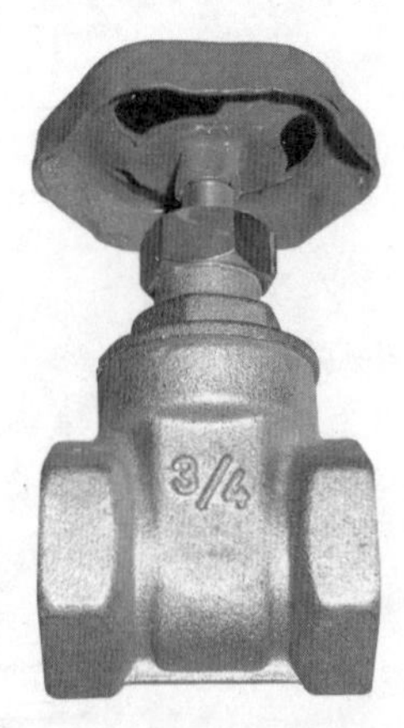

- **La llave de paso general**

Es la que permite la entrada del agua al hogar. Usualmente se encuentra ubicada cerca del medidor de agua, en la entrada de la vivienda. Posee una manija, generalmente circular, que es la que permite abrir o cerrar el paso del agua.

Esta llave se utiliza, principalmente, cuando el cierre de la llave de paso particular no es suficiente para impedir que el agua siga fluyendo.

- **La llave de paso particular**

Es la que permite la distribución del agua hacia los diversos sectores del hogar, por ejemplo: los distintos artefactos sanitarios del baño, de la cocina, la canilla de un patio, el agua que se usa para cargar un lavarropas, etc. De acuerdo con la amplitud del hogar, puede haber una sola llave de paso particular que comanda la distribución total del agua, o bien diferentes llaves para diferentes sectores.

Estas llaves se utilizan cada vez que se necesita cortar el paso del agua para realizar la reparación de algún artefacto.

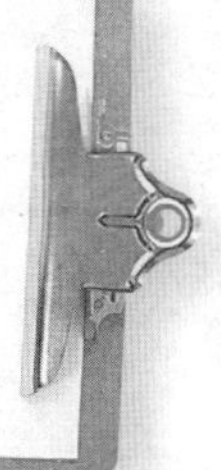

Si aún no conoce la ubicación de las llaves de paso general y particular de su hogar, le aconsejo que lo investigue. Saber dónde están ubicadas, y cómo abrirlas o cerrarlas, será imprescindible para poder realizar las reparaciones y, además, actuar rápidamente en caso de emergencia.

Apenas identifique la ubicación de las llaves de paso, compruebe que éstas abran y cierren correctamente. Si no fuera así, deberá desarmar la válvula para identificar el desperfecto. Al ser un trabajo complicado, que requiere de herramientas especiales, le aconsejo que contrate a un plomero matriculado.

El medidor de agua

Aprender a leer el medidor de agua le reporta dos beneficios:

Estar al tanto del consumo realizado (con lo que podrá saber si la facturación es la correcta).

Conocer si existe una pérdida de agua en la instalación de su hogar, que no pueda ser observada en forma evidente.

Básicamente, existen tres tipos de medidores de agua:

1) Medidor de 6 indicadores:

Consta de seis indicadores que poseen una aguja de demarcación. Cinco de estos indicadores están divididos en décimos y registran el número de litros: son los que se indican con los números 10, 100, 1.000, 10.000 y 100.000. El sexto indicador mide un litro por revolución. Para leer el medidor debe saber que los que miden

10, 1.000 y 100.000 mueven la aguja en el sentido contrario a las agujas del reloj; en cambio, los restantes las mueven en el mismo sentido.

Para conocer cuál es el consumo realizado en este tipo de medidor, deberá comenzar a contar por el indicador de 100.000, tomando como base el menor de los dos números que se encuentran entre la aguja y anotarlo. A continuación, y en una escala descendente, tome nota del número que surge de los siguientes indicadores (10.000, 1.000, etc.).

En nuestro ejemplo, el número resultante es: 436.170.

2) Medidor de 5 indicadores:

Muy parecido al anterior, consta de cinco indicadores y una aguja larga que mide los litros cúbicos consumidos. Para conocer el consumo, deberá seguir las mismas indicaciones dadas para el medidor anterior, siendo el número resultante en nuestro ejemplo: 541.380.

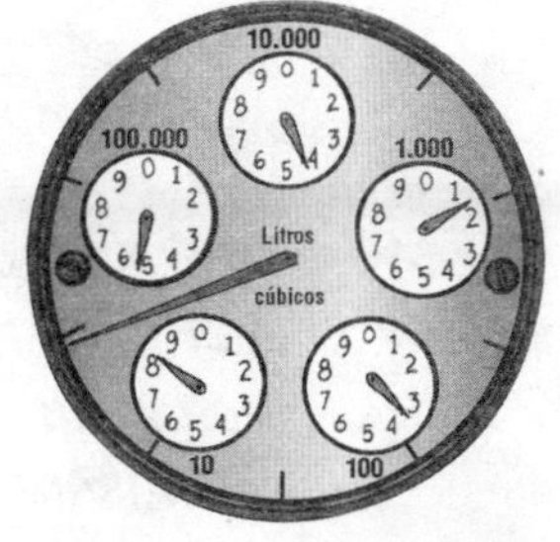

3) Medidor digital

Consta de una pantalla en la cual se puede observar, en forma directa, el total consumido. Puede o no tener un indicador para medir un litro por revolución.

PARA SABER SI SU CONSUMO COINCIDE CON EL FACTURADO

Realice la lectura del medidor tal como se ha indicado, tomando nota del consumo. Al vencimiento del período de facturación, vuelva a chequear el consumo obtenido. Reste la segunda lectura a la primera, comparando el resultado obtenido con el que figura en la factura.

PARA LOCALIZAR UNA PÉRDIDA DE AGUA

1) Cierre todas las llaves de paso de agua del hogar (general y particular).
2) Observe el medidor de un litro y anote la posición que tiene la aguja.
3) Mantenga cerradas las llaves de paso durante cuarenta minutos. Luego, ábralas.
4) Controle el medidor: si la aguja ha variado de lugar, existe una fuga de agua que no se evidencia a simple vista. En este caso, le recomiendo que consulte con un plomero matriculado para determinar el lugar de la pérdida y su reparación.

Capítulo 2

Reparaciones básicas en el hogar

Antes de comenzar...

Si bien en este libro ofrecemos las instrucciones para realizar aquellos trabajos de plomería considerados básicos y elementales, necesitaremos ciertas herramientas y materiales que nos permitirán hacer la tarea con eficacia.

Materiales básicos para plomería

- masilla epoxi y cinta aislante de PVC, para reparar pinchaduras

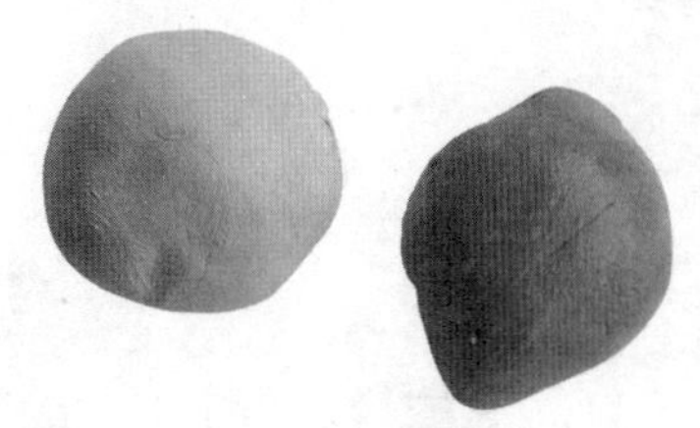

• arandelas o “cueritos”, para reparar las pérdidas de agua en las canillas

• papel de diario

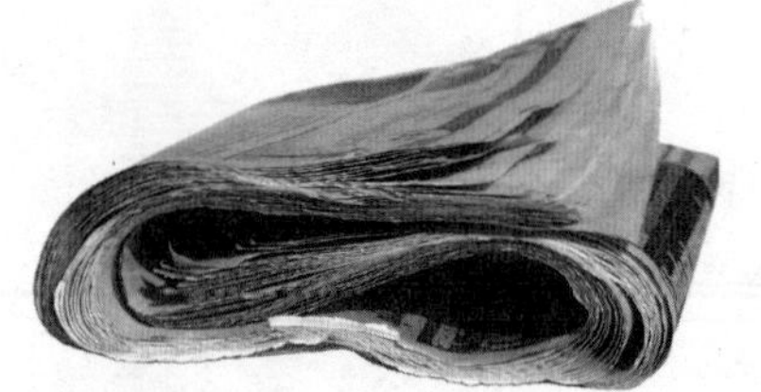

• papel de lija

• aceite, líquido o en aerosol, para lubricar tuercas o piezas trabadas

• cinta teflonada o cordón de pabilo, para evitar pérdidas de agua en canillas

Herramientas básicas para plomería

• destapador a succión y cable guía o varilla, para destapar inodoros, lavatorios o piletas

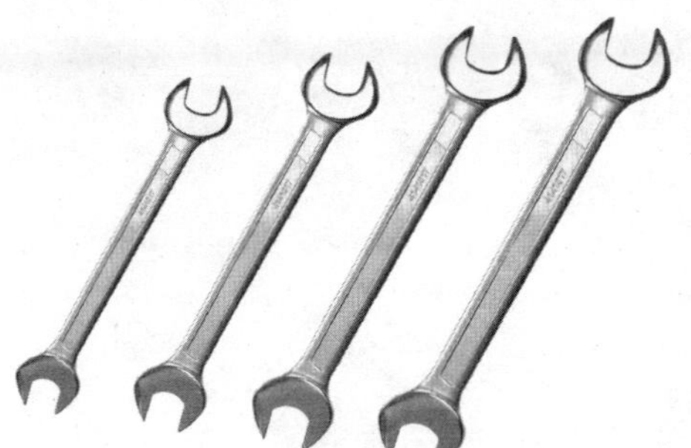

• llaves de varias medidas, para desenroscar tuercas de diferentes tamaños

• tramo de manguera, para ejercer presión en los desagües tapados

• llave inglesa

• destornilladores de varios tipos, para enroscar o desenroscar tornillos

• guantes de protección

• linterna

Cómo destapar las cañerías

La mayoría de las veces, las cañerías se tapan por alguno de los motivos que se indican a continuación:

a Residuos de grasa, de té o café, o de alimentos se eliminan a través del desagüe de la pileta de la cocina, al lavar la vajilla.

b Residuos de suciedad, de cabellos, de jabón, así como las pelusas e hilos de los trapos de piso, se eliminan a través del desagüe de la bañadera o lavatorio.

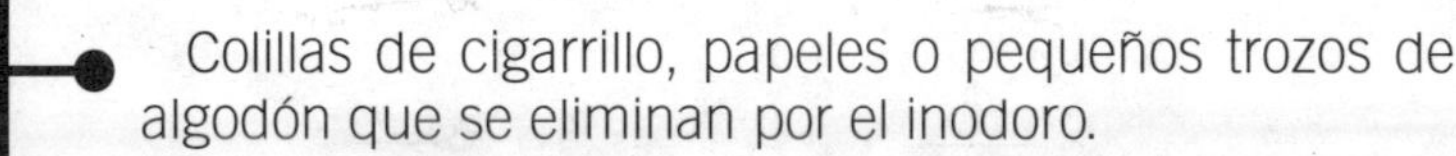

c Colillas de cigarrillo, papeles o pequeños trozos de algodón que se eliminan por el inodoro.

d Se utilizan en exceso limpiadores químicos que percuden las cañerías, sobre todo cuando éstas son de acero, hierro fundido o latón. Lo ideal es utilizar compuestos que contengan nitrato de sodio o hidróxido de sodio, pero sin abusar de ellos.

Medidas de prevención

Para evitar que las cañerías se tapen:

- Tenga por hábito retirar los cabellos y trozos de jabón que puedan quedar acumulados después de realizar la higiene personal.
- No arroje ningún otro elemento que no sea papel higiénico o similar al inodoro.

• Acostúmbrese a eliminar los residuos en la bolsa de basura. Puede adquirir en ferreterías o casas afines, una rejilla de protección que se coloca sobre el desagüe de la pileta de cocina. De esta manera se asegura que ningún resto de alimento pueda introducirse por la cañería.

Destapando cañerías: primer intento

Si su problema es una cañería tapada, necesitará adquirir (como primera medida) un destapador a succión (comúnmente llamado sopapa), como el que se observa a continuación:

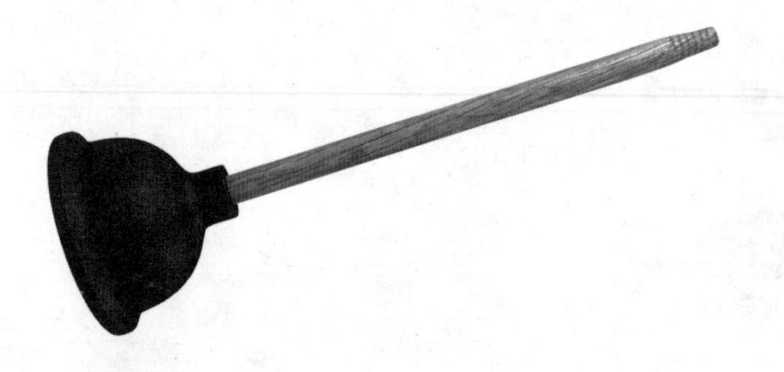

Para destapar una cañería con el destapador a succión, realice lo siguiente:

Obstruya, por medio de un trapo húmedo, la boca antidesborde (si es que la posee) de la instalación que desea destapar.

Llene con suficiente agua la pileta de la cocina, del lavatorio o la bañadera (la medida ideal es hasta que cubra casi la totalidad de la base del destapador).

Coloque la base del destapador sobre la rejilla. Lo ideal es que apoye, en primer lugar, uno de los lados de la base de la copa del destapador y, recién después, apoye la totalidad de la base sobre la rejilla de desagüe. De esta manera evitará que la copa se llene de aire.

Sin levantar el destapador y manteniéndolo de manera vertical, bombee con fuerza (hacia arriba y hacia abajo) unas 15 veces, aproximadamente.

Luego, levante en forma abrupta el destapador. Si la cañería se ha destapado, el agua se eliminará velozmente por la cañería. Si no, repita la operación una o dos veces más antes de tomar otra medida.

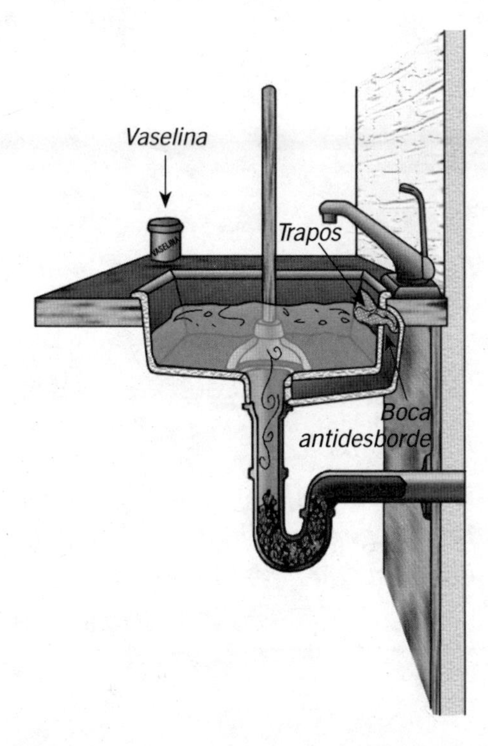

Para que el destapador quede bien sujeto sobre la rejilla, lo mejor es untarle la base con un poco de vaselina o aceite de cocina.

Destapando cañerías: segundo intento

Si la sopapa no dio resultados positivos, es probable que la cantidad de residuos que obstruyen el flujo de agua sea significativa. En este caso, puede recurrir a la utilización de los llamados "destapacaños", es decir, sustancias químicas preparadas para tal fin. Le recomiendo que no abuse de este producto porque, si bien puede llegar a ser de gran utilidad en un momento de emergencia, el uso continuo o innecesario puede llegar a dañar o percudir la cañería.

Al ser un producto tóxico debe manipularlo siempre utilizando guantes. Una vez que haya vertido el producto, retire manos y cara de la pileta o lavatorio: al correr el agua, el producto despedirá gases tóxicos que pueden intoxicarlo o quemar su piel. No mezcle diferentes productos químicos porque pueden llegar a ser incompatibles. Por último, nunca utilice el destapador a succión cuando usó un destapacaños.

Los productos químicos para destapar cañerías sólo deben usarse cuando el sanitario no está lleno de agua, es decir, cuando la cañería, a pesar de estar tapada, ha logrado dejar pasar el agua (aunque sea lentamente) para vaciar el artefacto.

Para utilizar el producto químico, tenga en cuenta lo siguiente:

Mantenga obstruida la boca antidesborde de la instalación, colocándole un trapo.

Lea atentamente las indicaciones del producto.

Eche el producto dentro de la cañería, utilizando siempre guantes.

4 Deje correr abundante agua.

Destapando cañerías: tercer intento

Si con el uso del destapador a succión y del destapador químico no logró llegar a la meta deseada, es decir, destapar la cañería, no desespere... ¡es hora de recurrir al cable guía o varilla!

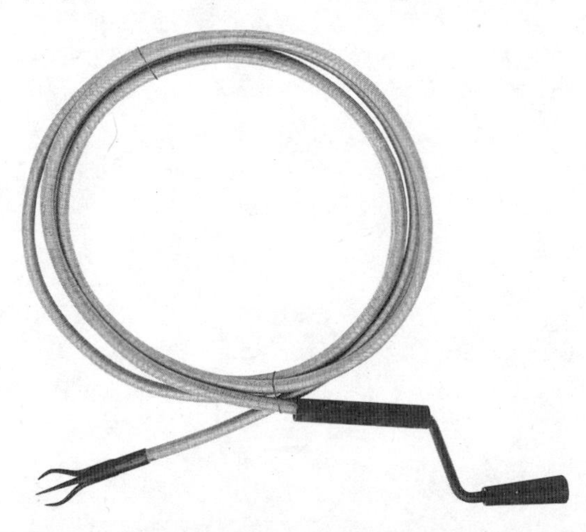

La cinta o cable se fabrica en acero y tiene una longitud variable. En general posee un mango en un extremo y, en el opuesto, una terminación en forma de tridente o espiral. Tiene la flexibilidad necesaria como para penetrar en una cañería e, incluso, atravesar ángulos y codos.

La técnica consiste en introducir la varilla en la cañería tapada hasta que sienta que el extremo llega a la obstrucción.

Una vez que llegue a la obstrucción, realice lo siguiente:

Tire hacia atrás la varilla a fin de quitar una porción de la obstrucción.

Empuje la varilla introduciéndola por la porción liberada, de modo tal que empuje a su vez el resto de residuos que obstruyen la cañería.

Retire la varilla y sáquela de la cañería, teniendo en cuenta que una parte del residuo saldrá aferrada al extremo de la misma.

Abra la canilla y deje correr el agua para comprobar si la cañería se destapó.

Si no es así, repita la operación empujando con fuerza para lograr que el residuo atraviese la cañería.

Vuelva a comprobar si se ha destapado. De no ser así, le recomiendo que consulte con un plomero matriculado pues el residuo puede estar ubicado en el drenaje principal, lo que impide la destapación con una simple varilla.

Las piletas de cocina tienen la ventaja de poseer una tapa de inspección y limpieza, que se retira con facilidad desenroscando el tornillo que la mantiene sujeta a la pieza principal. Esto permite introducir la cinta o cable por este lugar, para acceder con más facilidad a la zona obstruida.

Observe la ilustración:

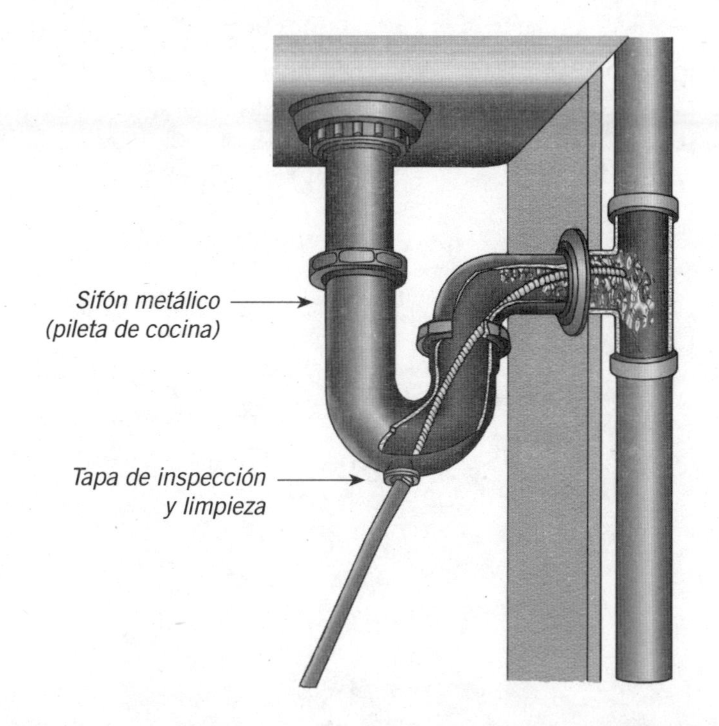

Destapando cañerías con presión de agua

Cuando la obstrucción se produce en la cañería de la bañadera y no ha logrado destaparla con los métodos recién descriptos, realice el siguiente procedimiento:

Tome un tramo de manguera (de las que se utilizan para regar el jardín) y coloque el extremo que posee la rosca o adaptador en la canilla.

Introduzca el tramo de manguera en la cañería.

Cubra la abertura de la rejilla con un trapo para evitar que el agua se acumule y vuelva a salir.

4 Una vez que la manguera quedó introducida, sujétela fuertemente y abra la canilla en su máxima potencia. Deje correr el agua unos minutos y, a continuación, abra y cierre (en forma alternada) la canilla, para que el agua bombee con fuerza.

Saque el trapo y extraiga la manguera.

Compruebe si la cañería se ha destapado. Si no es así, consulte con un plomero matriculado.

Si las cañerías de su hogar son antiguas, le recomiendo no abusar de este método de presión por agua, debido a que podría provocar fisuras en los caños.

Pérdidas de agua en canillas

Existen dos motivos principales por los que una canilla puede perder agua. El más común y el más fácil de solucionar es el desgaste o la rotura que se produce en la arandela, popularmente conocida con el nombre de "cuerito". El otro, es el desgaste que se produce en la tuerca de retén.

Pero antes de pasar a la reparación en sí, es necesario que conozca cómo se compone, básicamente, una canilla.

Para ello, observe el siguiente dibujo:

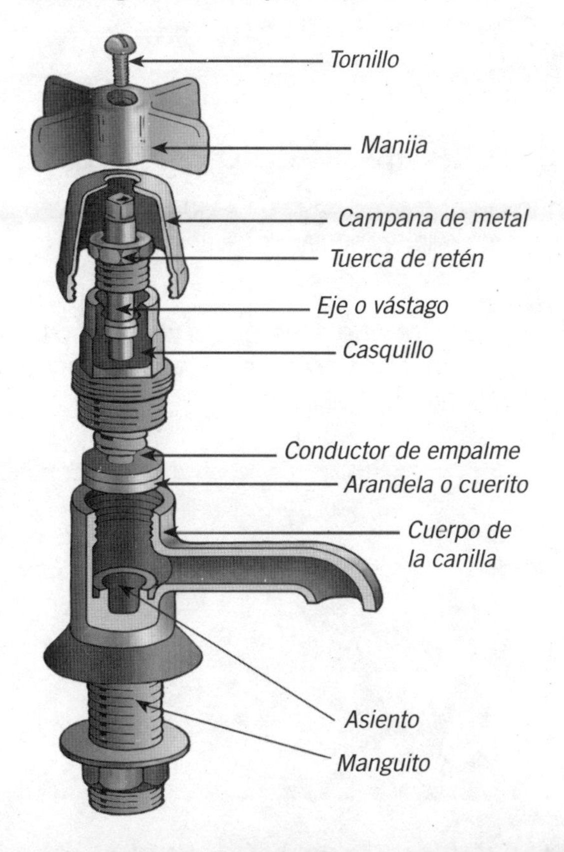

Siempre que realice una reparación, recuerde cortar o cerrar la llave de paso particular de la instalación en la que esté por trabajar. Una vez cerrada, abra la canilla que desea reparar para evacuar el agua que pudiera haber quedado contenida. Tape siempre la rejilla de desagüe en donde está trabajando con un trapo o un papel de diario para evitar que arandelas, tuercas y demás elementos puedan llegar a introducirse por la cañería. Entonces sí, comience con la reparación.

Cambio de arandela o cuerito

Cuando la pérdida de agua se produzca por la boca de la canilla, deberá cambiar la arandela o cuerito. Entonces:

Lo primero que tiene que hacer es quitar la manija. Para ello, deberá desenroscar el tornillo que la sujeta al resto de la estructura, utilizando un destornillador.

La mayoría de las veces, el tornillo de la manija no se ve a simple vista porque se encuentra oculto por una tapa en la que se indica, mediante una letra o un color, si corresponde al agua fría o caliente. Para retirar esta tapa, verifique si es a rosca o a presión. En el primer caso, la tarea será muy sencilla. En el segundo, coloque la punta de un cuchillo o destornillador debajo del borde de la tapa, aplique una suave presión hacia arriba, y extráigala.

A continuación, retire la campana y extraiga la totalidad de la estructura (es decir, tuerca, vástago, casquillo, conductor y arandela). No es necesario que la desarticule, porque su fin es solamente cambiar el cuerito.

Apenas retire la estructura, reconocerá cuál es el cuerito o la arandela.

Si la estructura de la canilla termina en un botón a presión en el centro del conductor de empalme, retire la arandela utilizando la punta de un destornillador.

Coloque la arandela nueva, ejerciendo presión, para que la misma quede bien asegurada.

Si la estructura termina con una arandela que posee una tuerca de sostén, desenrósquela con una pinza o llave y retírela. Coloque la arandela nueva y enrosque la tuerca.

Una opción para desenroscar la tuerca cuando ésta no cede fácilmente es verter unas gotas de aceite penetrante sobre la misma. Espere unos momentos y luego vuelva a intentarlo. Si todavía no cede, reemplace la totalidad de la arandela.

Si le es imposible desenroscar la tuerca, lo mejor es que retire la totalidad de la misma y la reemplace por una nueva arandela que posea la base de sostén incorporada.

8 Una vez que cambió la arandela, introduzca la estructura dentro del cuerpo de la canilla.

9 Una vez que introdujo la estructura en el cuerpo de la canilla y antes de colocar la campana, realice lo siguiente: enrolle dos o tres vueltas de la estructura saliente con la cinta teflonada o cordón de pabilo, tal como se observa en el dibujo. De esta manera, evitará una pérdida de agua por la superficie.

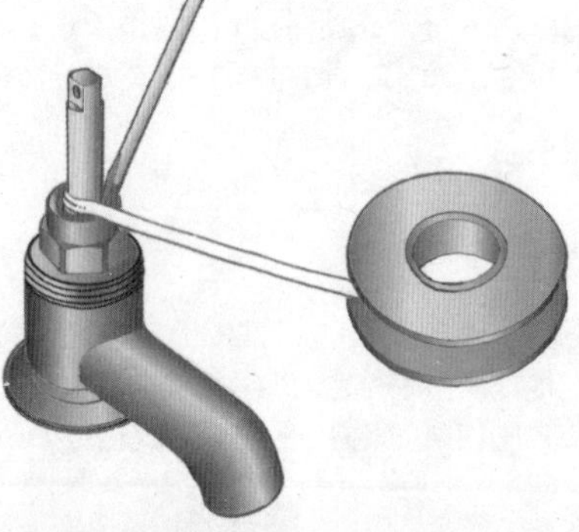

• Acerca de los cueritos

Los cueritos pueden adquirirse solos o con un dispositivo de sostén de metal que termina en una tuerca. Se utiliza la goma sola cuando la estructura de la canilla que contiene a la arandela termina en un botón de sujeción, o bien cuando el sostén de metal que lo contiene se encuentra en buenas condiciones.

Se utiliza la arandela con dispositivo de sostén cuando todo el dispositivo que se encuentra en la canilla está dañado, o bien cuando resulta imposible separar la arandela rota o desgastada del sostén de metal.

La misma explicación sirve para reemplazar el cuerito de las canillas de la bañadera. Guíese por el siguiente gráfico para tener en cuenta la composición y distribución de las diferentes partes que la componen.

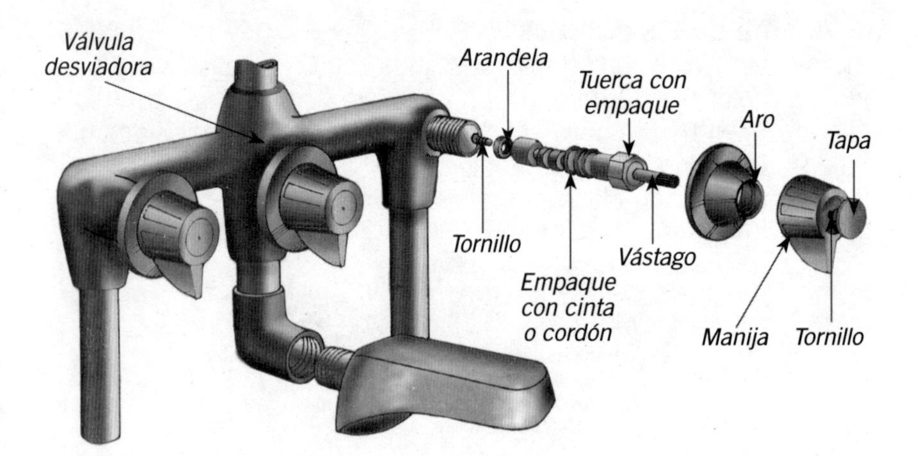

Cambio de tuerca de retén

Cuando la pérdida de agua se produce por debajo de la cabeza de la canilla, seguramente significa que deberá reemplazar la tuerca del retén. Para ello:

Libere la manija, retirando el tornillo, de la manera en que se explicó para cambiar el cuerito.

Retire la campana y la totalidad de la estructura de la canilla.

Identifique dónde está situada la tuerca de retén, guiándose por el dibujo explicativo de la página 25.

Desenrosque la tuerca de retén por medio de una llave inglesa o pinza de la medida correspondiente. Si la tuerca no cede con facilidad, agregue unas gotas de aceite penetrante para aflojarla.

Concurra a una ferretería y adquiera una nueva tuerca, llevando la que extrajo como modelo.

Coloque la tuerca de retén nueva, ajustándola con la ayuda de la llave o pinza.

Introduzca la estructura dentro del cuerpo de la canilla.

Enrolle dos o tres vueltas de cinta teflonada o cordón de pabilo.

9 Coloque la campana, ubique la manija y termine ajustando el tornillo de sujeción.

Pérdida y obstrucción del sifón de la pileta de la cocina

La pérdida de agua y la obstrucción en el sifón son dos problemas muy comunes que ocurren habitualmente en las piletas de cocina.

¿Qué es el sifón?

El sifón está compuesto por un tubo curvo que se encuentra ubicado inmediatamente debajo del desagüe de la pileta de la cocina. (Aunque no es tan común, algunos lavatorios también terminan en un sifón. La explicación ofrecida para la pileta de la cocina sirve igualmente para este caso.)

La función del sifón consiste en retener una porción de agua en su base para evitar que se expandan olores desagradables desde el interior de la cañería hacia el ambiente de la casa donde está ubicado el sanitario en cuestión:

El sifón, al igual que las cañerías, se obstruye debido a la cantidad de residuos de alimentos y otras sustancias que se van depositando con el tiempo.

Existen diferentes tipos de sifón. Entre los más destacados se encuentran el sifón tubular y el sifón de botella.

• Sifón tubular

El sifón tubular termina en una tapa roscada. Para desenroscarla y tener acceso al interior del sifón, ayúdese con una llave inglesa.

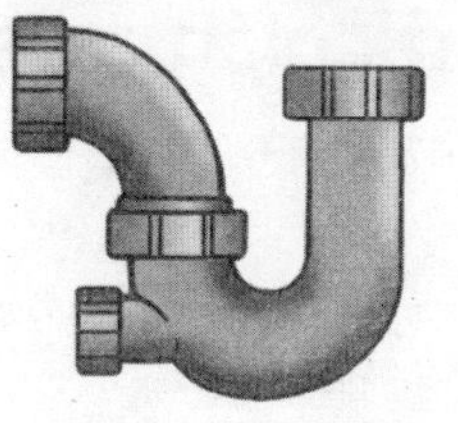

• Sifón de botella

El sifón de botella posee un tapón final que puede ser fácilmente desenroscado con la mano.

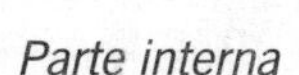

Existe un tercer tipo de sifón que tiene la característica de poseer una tapa de acceso que termina en una tuerca de sujeción. Tal es el caso del sifón de la pileta de la cocina.

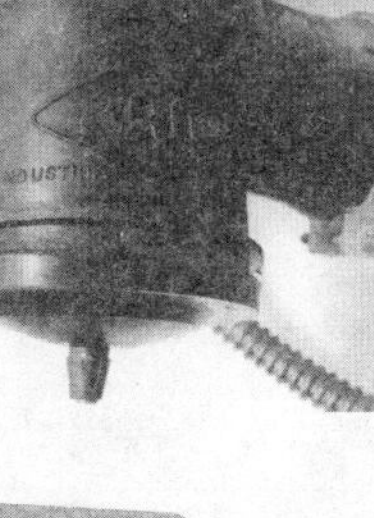

La tapa de la base del sifón se sujeta al resto de la pieza por medio de un tornillo, que se retira fácilmente.

Obstrucción en el sifón

Cuando el sifón se encuentre obstruido:

1. Coloque un balde vacío debajo del sifón.

2. Desenrosque la tapa, retírela y deje que fluya el agua contenida en la base hacia el balde.

3. Introduzca una cinta o cable destapa cañerías dentro del sifón.

4. Empuje dentro de la cañería a la que el sifón se encuentra conectada. Empuje lo más posible hasta que el cable o cinta choque con el residuo que ejerce el obstáculo.

5. Trate de enganchar, con el extremo del cable o cinta, porciones del residuo y retire el cable o cinta para que los mismos salgan al exterior.

6. Repita la operación varias veces hasta que el cable o cinta no choque con ningún obstáculo.

7. A continuación, haga correr un poco de agua de la canilla (no mucho, porque la cantidad rebalsará el balde).

8. Repita el drenaje dos o tres veces (vaciando el balde en otra instalación).

9. Puede suceder que al dejar correr el agua, ésta no drene por la cañería hacia el sifón: esto significa que el tramo de cañería que va desde la rejilla hasta el sifón está tapado.

Si, en cambio, el agua drena y sale por el sifón abierto pero al taparlo la cañería sigue mostrando signos de estar obstruida, esto significa que lo que está tapado es el tramo de cañería que va desde la salida del sifón hasta el desagüe general.

Como último paso, enrosque nuevamente la tapa del sifón.

Pérdida de agua en el sifón

Una pérdida de agua en el sifón puede deberse a diversas causas. Las más comunes son:

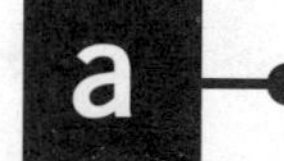

Que exista una rotura o pinchadura en alguno de sus tramos.

Que la tapa no cierre debidamente.

b

Que, en los sifones que terminan en una tapa de acceso con tuerca, esta última no esté debidamente ajustada.

Si existe una rotura o pinchadura, lo ideal es cambiar el sifón en su totalidad.

Si la tapa no cierra debidamente, retírela (tomando la precaución de vaciar el agua contenida en el sifón dentro de un balde) y adquiera una igual en una casa de venta de sanitarios.

Si la tuerca no se encuentra debidamente ajustada, tenga paciencia y pruebe de enroscarla hacia arriba y hacia abajo. La mayoría de las veces, este problema se soluciona cuando se encuentra el punto justo en que la tuerca debe quedar enroscada. Le llevará su tiempo, pero lo más seguro es que consiga que el sifón deje de gotear.

Pinchaduras en los caños: soluciones de emergencia

Existen dos formas muy fáciles y prácticas para solucionar una pinchadura en un caño.

La primera, y la más durable y adecuada, es mediante la utilización de masilla epoxi. La segunda, para una real emergencia, consiste en usar una cinta aislante de PVC, un trozo de manguera abierta al medio y algunos tramos de alambre.

Veamos cada una de ellas:

Reparación de pinchadura con masilla epoxi

La masilla epoxi se puede adquirir en ferreterías o casas de venta de sanitarios. Se compone de dos pastas que, apenas se mezclen y como resultado de un proceso químico, comenzarán a endurecerse.

En general, transcurridos veinte minutos la masilla alcanza un 80% de su dureza definitiva. Éste será el tiempo del que dispone para masillar la pinchadura en el caño.

Para realizar la reparación haga lo siguiente:

Cierre la llave de paso particular del sanitario en cuestión y evacue el agua contenida en el caño.

Lije el tramo de caño donde se encuentra la pinchadura, para obtener una superficie limpia y bien adherente.

Mezcle las dos pastas de masilla hasta formar una sola, bien homogénea.

Coloque una porción de masilla en una espátula (generalmente, en su presentación, este producto trae una espátula incluida).

Aplique la masilla sobre la pinchadura, apretándola para que selle la totalidad del agujero.

6 Coloque otra porción de masilla, aplíquela sobre la pinchadura y extienda el producto alrededor de la zona.

7 Alise la masilla para que tome la forma del caño.

8 Una vez aplicada, repásela con un trapo húmedo, apenas enjabonado, para darle una mejor terminación.

9 Deje secar durante veinticuatro horas.

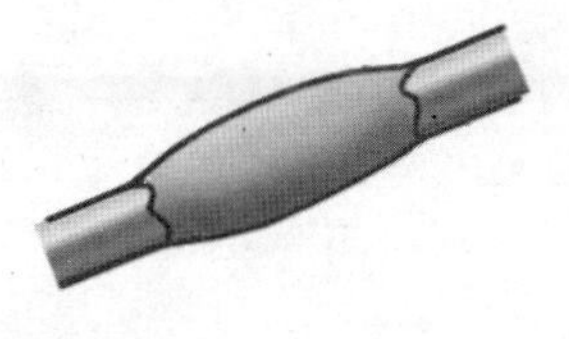

Lo ideal es que no utilice agua del caño que recién ha reparado para que, una vez transcurridas las veinticuatro horas de secado, el caño quede firme y resistente. Pero si necesita utilizar agua, envuelva la masilla con cinta adhesiva y abra apenas la canilla para que salga poca cantidad.

Reparación de pinchadura con manguera y cinta aisladora

Cuando la pinchadura es lo suficientemente grande para dificultar el trabajo con la masilla epoxi, lo mejor es realizar una reparación de emergencia hasta tanto un plomero matriculado pueda reemplazar el caño roto por uno nuevo.

Para ello, realice lo siguiente:

1. Cierre la llave de paso del ambiente donde está ubicado el sanitario y deje drenar el agua contenida en el caño.

2. Envuelva el caño, tanto en la pinchadura como en las zonas adyacentes, con cinta aislante de PVC.

3. Tome un trozo de manguera (de la utilizada para el jardín), córtela a lo largo y envuelva con ella el caño.

4. Enrosque los trozos de alambre sobre la manguera y ajústelos enroscando un extremo con el otro, ayudándose con una pinza.

5. Abra la llave de paso y corrobore que la pérdida haya desaparecido.

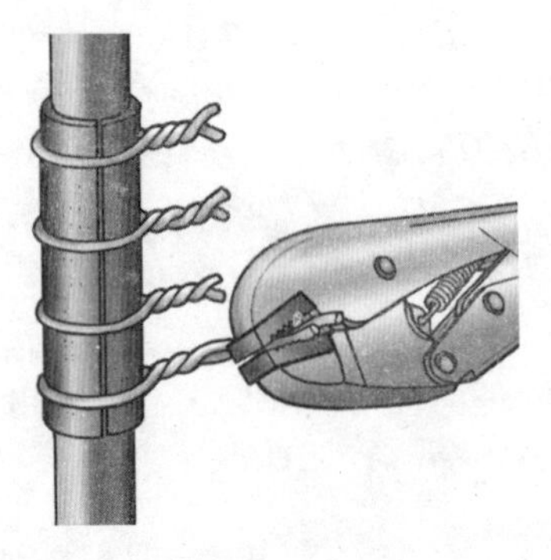

Otra opción, menos rudimentaria, consiste en utilizar abrazaderas de unión en vez de alambres, tal como muestra el dibujo. En general son de metal, pero puede encontrar otras mucho más económicas fabricadas en plástico.

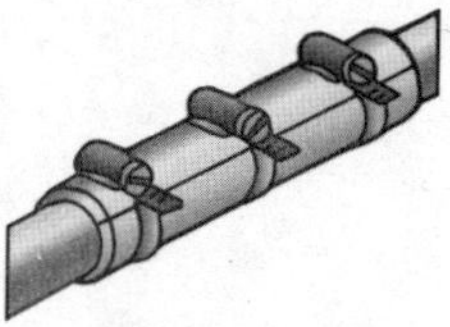

Reparaciones en el inodoro

El inadecuado funcionamiento del inodoro es uno de los problemas más comunes que ocurren en el hogar, y su manifestación más evidente (y molesta) es que el agua del tanque fluye constantemente en la taza del inodoro.

Para solucionar este problema, es necesario que conozca básicamente cómo funciona el mecanismo de un inodoro. Observe el siguiente dibujo:

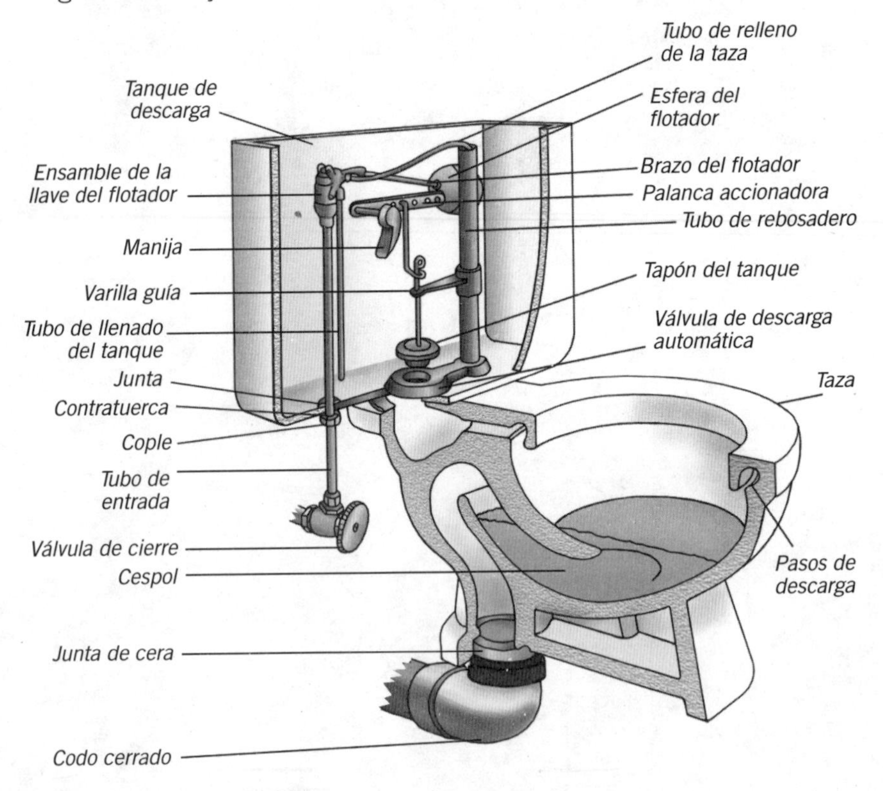

El mecanismo de funcionamiento

Dentro del tanque o mochila que contiene el agua de descarga se encuentran dos componentes fundamentales: el ensamble de la llave del flotador y la válvula de descarga automática. El primero tiene por función regular la cantidad de agua que llenará el tanque. El segundo se ocupa de controlar el desagüe del tanque hacia la taza.

Al bajar la manija del tanque (o apretar el botón, en los tanques que se encuentran instalados dentro de la pared), la palanca accionadora alza los alambres que se hallan conectados al tapón. Esto produce que el tapón se levante y el agua pase, a través de la válvula de descarga, del tanque a la taza. Por acción de la gravedad, el agua pasa de la taza al tubo de drenaje y así se evacuan los desechos.

Si cuando baja la manija del tanque el caudal de agua no es el adecuado, apriete el tornillo que conecta la manija con la palanca accionadora.

Una vez que el tanque queda vacío, es necesario que vuelva a llenarse para disponer del agua en la próxima oportunidad. Para conseguir esto, el tapón cae y se acomoda sobre la válvula de descarga automática, a fin de impedir que el agua se escurra. La esfera del flotador (que quedó caída al vaciarse el tanque) acciona el ensamble de la llave del flotador para permitir que el agua comience a entrar nuevamente en el tanque. A medida que el nivel del agua sube, el flotador sube. Cuando el flotador se encuentra a una altura suficiente, se cierra el paso de entrada del agua al tanque, el que queda preparado para un nuevo uso. Éste es el funcionamiento normal del inodoro.

Pérdida de agua en la taza del inodoro

Veamos, a continuación, cuáles son los problemas más comunes que producen la pérdida constante de agua del tanque a la taza, y qué debe hacerse en cada caso.

• En primer lugar, observe si la esfera del flotador choca contra la pared del tanque impidiendo que suba. Si es así, corrobore que la esfera se encuentre colocada en forma adecuada y, si no, ajústela. Compruebe si la pérdida ha cesado.

• Si no es así, tome el brazo del flotador con ambas manos y dóblelo hacia abajo. Guíese con el siguiente dibujo:

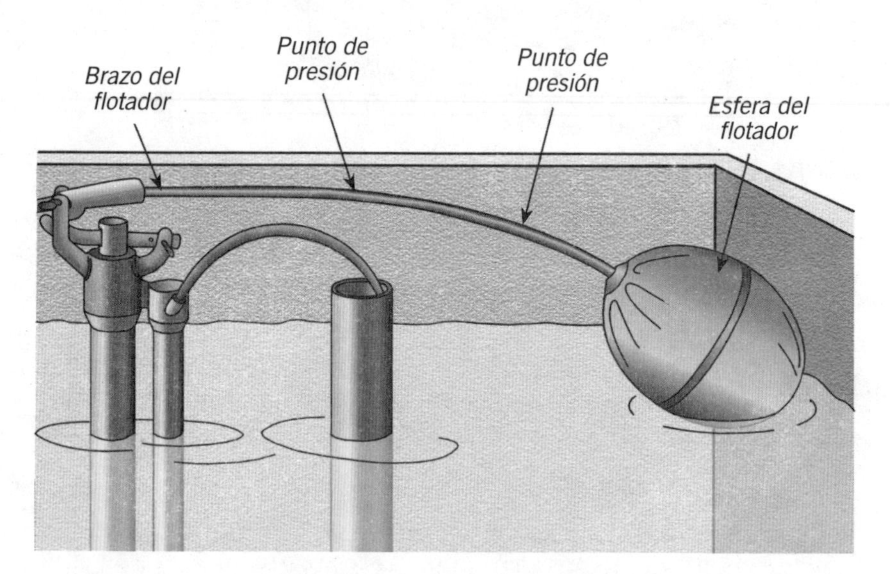

• También puede ocurrir que la pérdida se deba a que la esfera del flotador se encuentra llena de agua, y por eso no sube, ocasionando que el agua siga fluyendo sin detenerse, hacia la taza. En este caso, lo más conveniente es reemplazarla por una nueva.

• Otra opción es que el interior de la válvula de descarga automática tenga suciedad adherida que impida que el tapón se cierre en la forma adecuada. Para solucionar este problema, saque la tapa del tanque, descárguelo, levante el tapón sosteniéndolo con una mano y, con la otra, limpie el interior y los bordes de la válvula de descarga con lana de acero o una esponja revestida de fibra de acero.

• Las pérdidas pueden producirse porque el tapón de cierre se encuentra rajado o desgastado. Investigue y, si es así, reemplácelo por uno nuevo. Para ello, descargue el tanque de agua, desenganche el alambre que sostiene el tapón y la varilla guía. Retire ahora el tapón viejo e introduzca el nuevo ejerciendo un poco de presión. Vuelva a enganchar el alambre y la varilla guía, y corrobore que el tapón cierre adecuadamente.

Si después de realizar los pasos indicados el inodoro continúa perdiendo, le aconsejo consultar con un plomero matriculado. El problema puede deberse a diferentes causas: rotura del tubo de rebosadero, grietas en el interior de la válvula de descarga automática o desperfectos en el ensamble de la llave del flotador, entre los más importantes.

Cómo destapar la taza del inodoro

Lamentablemente, se trata de un problema bastante habitual, cuyas causas pueden tener que ver con que se arrojen en el inodoro elementos que lo obstruyen, o con el uso repetido por parte de muchas personas.

Para destapar la taza, realice lo siguiente:

Llene la taza del inodoro hasta la mitad. Si está excesivamente llena,retire el agua con un recipiente.

Tome el destapador a succión (sopapa) y coloque la base en el orificio de desagüe del inodoro, cubriéndolo por completo.

Bombee con energía entre 15 y 20 veces, y luego retire el detapador en forma abrupta para lograr que el agua desagüe con fuerza. Repita la operación una o dos veces más si es necesario.

Capítulo 3

La instalación de un inodoro

Tareas previas a la colocación del nuevo sanitario

En este último capítulo aprenderemos a instalar un inodoro. Este conocimiento será muy útil para el momento en que, por roturas, rajaduras o por simple necesidad de renovación, se necesite reemplazar un viejo artefacto. También podremos encontrar las referencias básicas de la composición de un lavatorio y un bidet, para el caso de que deseemos ir un poco más allá y nos animemos a renovarlos.

Quizás no haga falta cambiarlo

Tal vez está pensando en cambiar la taza del inodoro porque existe una pérdida de agua en su base. Pero... antes de comprar un sanitario nuevo, le recomiendo que desempotre la taza como se indica en el procedimiento de la instalación, que la dé vuelta y observe en qué estado se encuentra el sello de cera a prueba de agua que existe en su interior. Si el sello está gastado o deshecho, reemplácelo. Para ello, quite el sello viejo con una espátula y coloque el nuevo. Empotre nuevamente el inodoro, previa limpieza de la zona, y compruebe si la pérdida ha cesado.

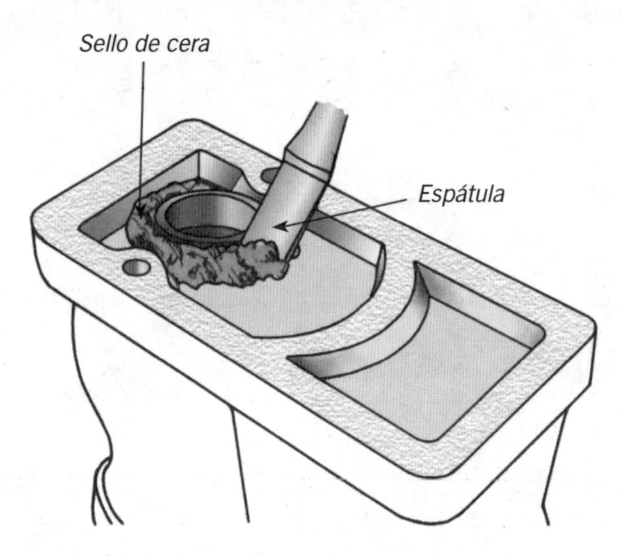

Los preparativos

En el momento en que comience a trabajar en la instalación del sanitario, deberá tener en cuenta lo siguiente:

• Si los tornillos de fijación del inodoro al piso se encuentran demasiado apretados y no ceden con facilidad, no aplique la fuerza... aplique la astucia: así evitará el riesgo de romper o dañar la brida de fijación. Si esto ocurriese, habrá que desmontar la brida y proceder a colocar una nueva, trabajo que deberá encargarle a un plomero matriculado.

Por lo tanto, afloje los tornillos con unas gotas de aceite penetrante. Espere unos minutos y, con el destornillador, vaya girándolos de a poco.

• No comience a trabajar sin antes proteger los artefactos aledaños y el piso. Coloque una buena cantidad de papel de diario sobre los mismos.

• Provéase de diferentes taquitos de madera o de metal. Los necesitará en el caso de que tenga que nivelar el nuevo inodoro.

• No olvide utilizar guantes de protección durante todo el trabajo.

• Mantenga el inodoro nuevo lejos del lugar de trabajo. De esta manera evitará que pueda romperse o dañarse en el momento en que usted retire el viejo artefacto.

• Tenga una bolsa de plástico cerca del lugar en el que está trabajando. Le será muy útil para guardar los tornillos y demás piezas que desmonte y evitará que se pierdan o se dañen.

Si su intención es reemplazar su antiguo inodoro por uno de un nuevo modelo y medida, le aconsejo que se contacte con un plomero matriculado. Este trabajo implicará un conocimiento más profundo sobre el tema, ya que lo más seguro es que deba realizar una nueva abertura de desagüe en el piso, así como modificar la distribución de las diferentes partes de la cañería de entrada y salida.

La instalación, paso a paso

Antes de comenzar con la instalación, observe atentamente el siguiente dibujo para conocer cuáles son las partes constitutivas del inodoro. Será necesario que las tenga en cuenta en el momento del trabajo.

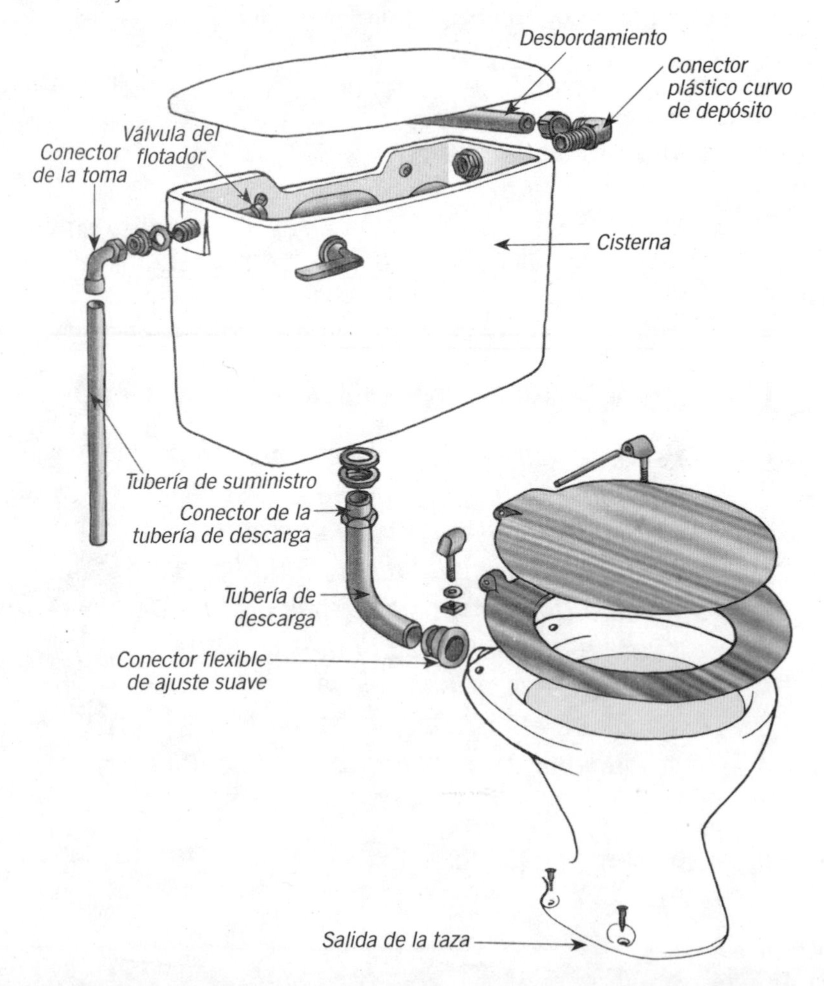

Retirando el inodoro viejo

Lo primero que deberá hacer para proceder al cambio de su inodoro es desempotrar el artefacto antiguo. Para ello, cierre la llave de paso particular del agua fría para cortar el suministro, y descargue el tanque de agua.

A cada lado de la base de la taza del inodoro se encuentran dos o más tornillos que lo sujetan al piso. Desenrósquelos y guárdelos, si es que va a utilizarlos en la colocación del nuevo artefacto (si no, llévelos como modelo para adquirir los nuevos).

Ahora, desenrosque las piezas que conectan la taza del inodoro con el exterior. En caso de poseer mochila, la salida de la taza se conectará directamente con la misma.

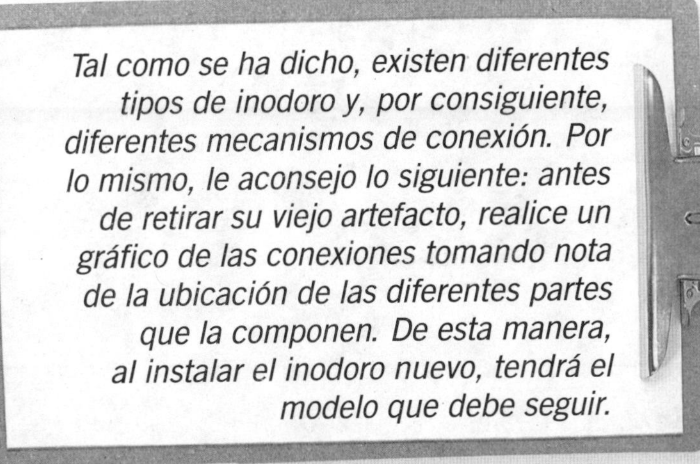
Tal como se ha dicho, existen diferentes tipos de inodoro y, por consiguiente, diferentes mecanismos de conexión. Por lo mismo, le aconsejo lo siguiente: antes de retirar su viejo artefacto, realice un gráfico de las conexiones tomando nota de la ubicación de las diferentes partes que la componen. De esta manera, al instalar el inodoro nuevo, tendrá el modelo que debe seguir.

Una vez que la taza ha quedado libre de conexiones, retírela del lugar desmontándola de la brida del piso.

Colocación del nuevo inodoro

Con una espátula, retire la totalidad del sello de cera viejo que ha quedado en el piso junto a la brida. Aproveche para limpiar la zona con un trapo húmedo.

Tome el nuevo artefacto y colóquelo sobre la brida de fijación.

Antes de proceder a colocar nuevamente los tornillos, verifique que la taza se encuentre nivelada, tal como muestra el siguiente dibujo:

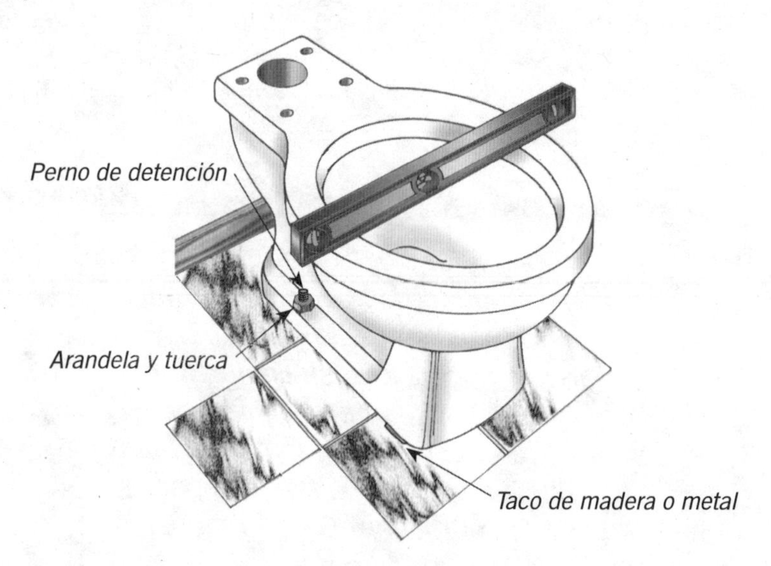

Una vez que la taza esté nivelada, coloque los tornillos.

Para terminar, conecte las piezas a la salida de la taza guiándose por el dibujo ofrecido al inicio o por el gráfico que usted realizó al desinstalar el artefacto antiguo.

Si la taza no está nivelada, consígalo colocando pedacitos de metal o taruguitos de madera debajo de la base. Tenga paciencia y no claudique hasta poder nivelarla.

La composición básica de un lavatorio y un bidet

El lavatorio: un trabajo complejo

La colocación de un lavatorio requiere de un mayor conocimiento en el campo de la plomería. A esto se suma que, afortunadamente, en la actualidad cada vez se lanzan al mercado nuevos modelos que, si bien requieren de mecanismos similares de colocación, tienen formas y diseños tan diversos que su colocación debe ser hecha por un profesional.

A menos que usted se dedique exclusivamente a sustituir su antiguo lavatorio por uno nuevo del mismo modelo y medida –y por lo tanto, podrá guiarse para realizar las nuevas conexiones tomando como referencia las que ya se encuentran instaladas– la instalación de un nuevo lavatorio no es una tarea tan fácil como la sustitución de una taza de inodoro.

¿Y sabe por qué? Porque lo más seguro es que deba cortar caños, tomar medidas, realizar nuevas perforaciones en los desagües de pared, cambiar tramos de las cañerías viejas, y un largo etcétera, tareas que realmente exceden el nivel inicial y básico que supone este libro.

Sin desmedro de ello, y como una primera aproximación al trabajo, le ofrezco el modelo de la composición de un lavatorio estándar. Le servirá para conocer el grado de complejidad que supone el reemplazo de este aparato, de modo de poder evaluar con mejores herramientas si está capacitado para hacer la tarea o no.

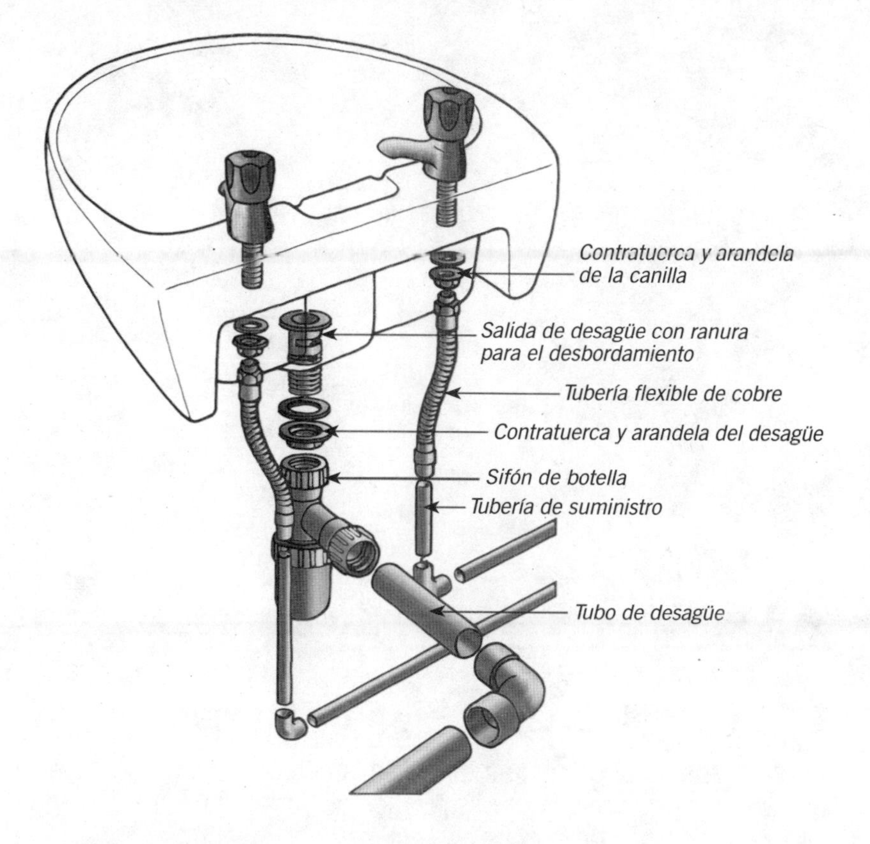

La grifería: un tema aparte

La elección de un nuevo juego de canillas es un paso importante cuando se decide renovar el lavatorio del baño. En el mercado existen diferentes modelos y sistemas que inciden en el tipo de lavatorio a instalar. Téngalo en cuenta a la hora de elegir.

Básicamente, los modelos que puede encontrar son los siguientes:

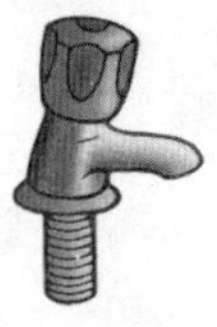

Canilla de cabeza cubierta

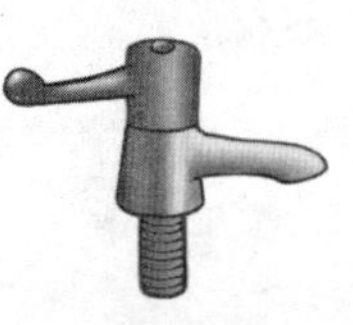

Canilla de cabeza con palanca

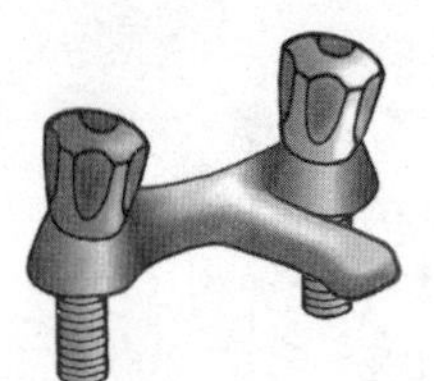

Canilla mezcladora de dos orificios

Canilla mezcladora de tres orificios

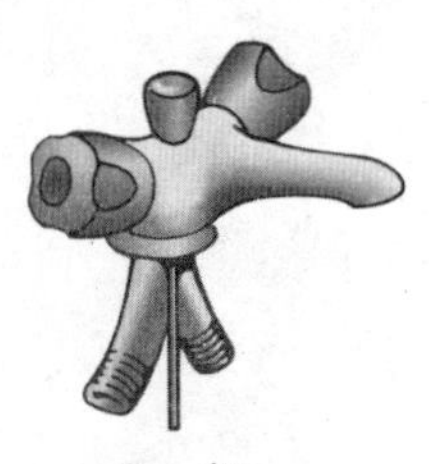

Canilla mezcladora de un orificio

El bidet: algunas nociones básicas

Con respecto al bidet, le indico lo mismo. Si sólo va a sustituir el antiguo por uno nuevo del mismo modelo y medida, le recomiendo realizar un gráfico de la conexión establecida, guiándose por el que le ofrezco para conocer las diferentes partes constitutivas.

Tome las precauciones que se indicaron para la instalación de un inodoro, con relación a la forma de desmontarlo, retirando los tornillos de fijación y desarticulando las conexiones que lo unen a la cañería.

Tenga en cuenta que los diferentes modelos de bidet suelen presentar variaciones en el modo de conexión de las partes constitutivas. El dibujo ofrecido corresponde al tipo básico.

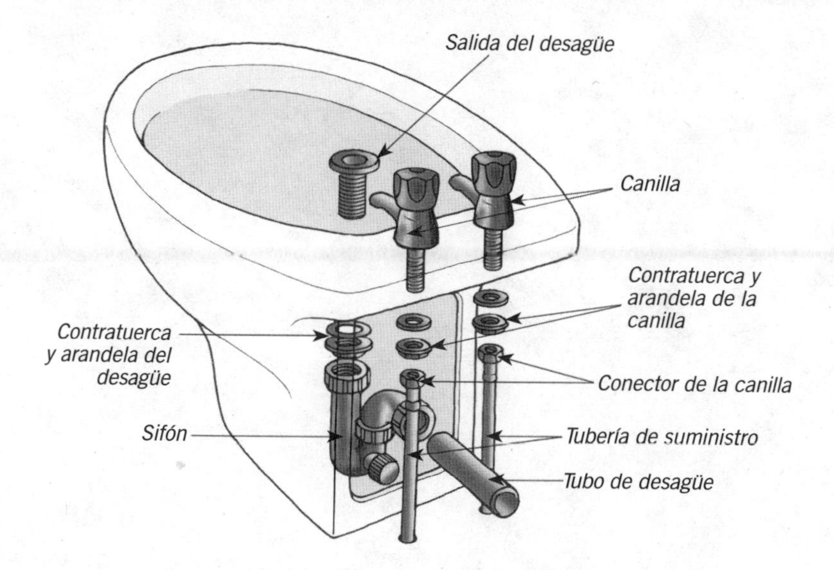

La elección de las canillas del lavatorio incidirá, también, en las del bidet y, por consiguiente, en el tipo de modelo que deberá elegir.

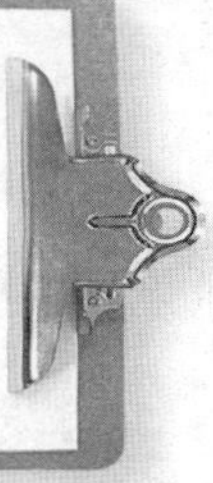

Apéndice

Claves para ahorrar agua

Todos podemos lograrlo

En los tiempos que corren, son muy pocas las personas que aún no saben que el agua es un recurso imprescindible para la vida, pero que tiene una fecha de vencimiento. Esto significa que debido a muchos factores, cada vez son más las regiones expuestas a grandes sequías, como consecuencia del calentamiento global. Para decirlo claramente y con pocas palabras: si seguimos derrochando este precioso recurso natural, en poco tiempo no habrá agua suficiente para todos los habitantes de este maltratado planeta.

Si bien en distintos foros internacionales los gobiernos se ocupan cada vez más del tema y ya son muchos los países que han reclamado tanto al sector industrial como al agrario que tomen medidas urgentes para racionalizar el uso del líquido elemento en sus actividades, nosotros también podemos hacer mucho, con sólo tomar algunos recaudos.

• Al lavar los platos

Enjuagar rápidamente los platos y luego llenar la bacha de la cocina con agua sólo hasta cubrirlos. Lavarlos con la canilla cerrada, utilizando esa agua, y luego vaciar la bacha y enjuagarlos.

Si se posee doble bacha, enjabonar los platos, vasos y cubiertos e ir colocándolos en la bacha libre. Luego, abrir la canilla y enjuagar cada uno de modo que el chorro caiga sobre los que todavía están sin enjuagar. De este modo, se hará un preenjuague que hará más breve el enjuague posterior, y se pueden ahorrar hasta cien litros de agua.

• Al ducharse

Abrir la canilla de la ducha cuando uno ya se ha desvestido. Es muy común abrirla y dejar correr el agua mientras uno se desviste, con la pérdida y el derroche que eso implica.

Cerrar la ducha para enjabonarse, y volver a abrir la canilla para enjuagarse. Ah... y limitar al máximo posible los baños de inmersión (llenar una bañadera insume entre cien y ciento cincuenta litros de agua).

Puede pasar que el agua tarde unos momentos en calentarse. Ese tiempo puede aprovecharse para llenar con agua baldes u otros recipientes, de modo de utilizar luego esta agua en otras cuestiones (regar las plantas, por ejemplo).

• Al lavarse los dientes

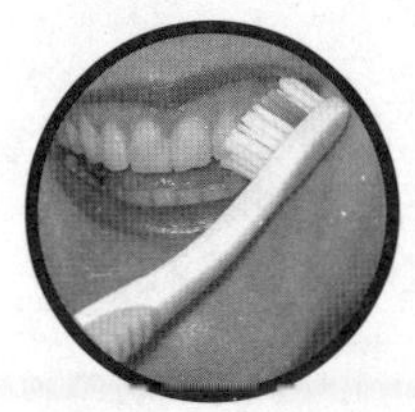

Abrir la canilla sólo para mojar el cepillo de dientes y luego cerrarla mientras nos lavamos los dientes. Volver a abrirla sólo para enjuagarnos y limpiar el cepillo.

Se calcula que, de mantener abierta la canilla durante todo el lavado de dientes, se malgastan aproximadamente veinte litros de agua.

• Al descongelar alimentos

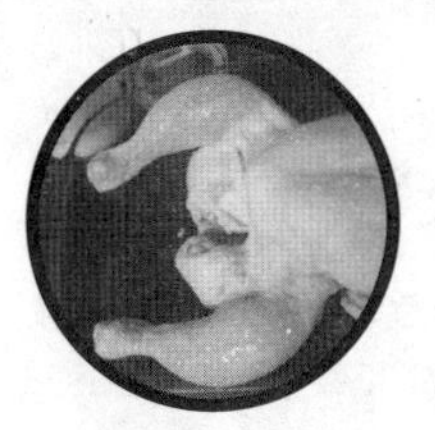

Quienes no poseen horno a microondas suelen descongelar alimentos colocándolos bajo el chorro del agua caliente, malgastando así una gran cantidad de agua. En lugar de hacerlo así, se recomienda actuar con previsión y retirar los alimentos del freezer con la anticipación suficiente como para que se descongelen sin ayuda del agua.

• El agua de cocción

Si bien no cualquier agua de cocción sirve para riego, se puede utilizar, por ejemplo, el agua de cocción de los huevos, ya que no contiene sal y sí posee nutrientes de la cáscara, muy beneficiosos para las plantas.

• Al lavar la ropa

Se ahorra mucha más agua si se hacen menos lavados en el lavarropas, y siempre con carga completa. También se recomienda utilizar, en los lavarropas automáticos, programas que trabajen con agua fría o a temperatura moderada.

• Al lavar el automóvil

Se ahorra mucha más agua si el lavado se hace utilizando baldes con agua que si se hace utilizando manguera.

• Al regar las plantas

Hacerlo de noche, cuando ya no hay sol. De este modo, se evita tener que usar mayor cantidad de agua, ya que durante el día el calor y el sol directo la evaporan.

• Desechos en el inodoro

Es común que se use el inodoro para desechar algodones que se usaron para retirar maquillaje, o cabellos, o incluso colillas. Así es como se realizan descargas innecesarias del inodoro, con el consecuente derroche de agua.

• Al lavar la vereda

Aunque en la actualidad las mangueras pueden tener una pistola que permite cortar el paso de agua y así ahorrar un poco, también es cierto que lavar la vereda recurriendo a baldes llenos de agua implica un mayor ahorro.

Para finalizar, también es muy importante (más allá de cuestiones económicas) que revisemos que no haya pérdidas de agua en caños y canillas en nuestra casa. Una canilla goteando puede significar un derroche de doscientos litros de agua en un mes.

Índice